Pef

Motordu papa

GALLIMARD JEUNESSE

Le prince de Motordu
et la princesse Dézécolle
étaient à présent mariés.

Au moment de l'**heure des histoires**, tandis que l'un regarde les images et l'autre lit le texte, une relation s'enrichit, une personnalité se construit, naturellement, durablement.

Pourquoi ? Parce que la lecture partagée est une expérience irremplaçable, un vrai point de rencontre. Parce qu'elle développe chez nos enfants la capacité à être attentif, à écouter, à regarder, à s'exprimer. Elle élargit leur horizon et accroît leur chance de devenir de bons lecteurs.

Quand ? Tous les jours, le soir, avant de s'endormir, mais aussi à l'heure de la sieste, pendant les voyages, trajets, attentes... La lecture partagée permet de retrouver calme et bonne humeur.

Où ? Là où l'on se sent bien, confortablement installé, écrans éteints... Dans un espace affectif de confiance et en s'assurant, bien sûr, que l'enfant voit parfaitement les illustrations.

Comment ? Avec enthousiasme, sans réticence à lire « encore une fois » un livre favori, en suscitant l'attention de l'enfant par le respect du rythme, des temps forts, de l'intonation.

ISBN : 978-2-07-063230-5

Numéro d'édition : 281378
Loi n° 49-956 du 16 juillet 1949
sur les publications destinées à la jeunesse
Premier dépôt légal : avril 2010
Dépôt légal : décembre 2014
Imprimé en France par I.M.E.

Ils habitaient toujours
leur magnifique chapeau.

Tous deux avaient de quoi s'occuper.
Le prince adorait pêcher son jardin.

Mais, s'il pleuvait, il remettait
à neuf sa bicyclette en lui donnant
un bon coup de ceinture.

Quant à la princesse, elle tricotait
ou faisait de la coupure.
Mais son mari de prince veillait sur elle.
– Ne vous coupez pas avec vos ciseaux,
ma chère épouse. Dans votre état il faut
faire très attention !

Il avait bien raison : la princesse Dézécolle attendait la venue au monde de son dédé. Elle le désirait tant, ce premier garçon, qu'elle envisageait de l'appeler Désiré.

Le prince de Motordu s'inquiétait déjà
du petit bout d'homme qui allait naître.
Tout en se lavant les pieds, il se disait
que les princes n'étaient plus les maîtres
du monde et que son fils devrait travailler
dur pour gagner sa vie.

« Sera-t-il poulanger ? »

Le prince imaginait déjà son rejeton
transformant des sacs de famine
en appétissantes poules de pain
pour apaiser la faim
des habitants de toute la région.

« Ou alors, envisageait
le futur papa, il se spécialisera
dans la chirurscie esthétique.

Quel beau métier, un Motordu,
armé d'une scie, raccourcissant
les nez trop longs de belles
clientes ! »

« Mais peut-être mènera-t-il
la danse au ballet de justice,
poursuivant les criminels
ou défendant les
pauvres innocents ? »

Le prince de Motordu rêvait encore :
« Je le verrais bien mécanichien-chef,
dans un garage, dénichant
les pannes, couché, à l'ombre,
sous les voitures. »

– Ne vous en faites pas, le rassurait
sa femme en lui essuyant les crocs
orteils, il sera comme vous,
il mordra la vie à pleines dents.

Une fois par mois, les Motordu
montaient en toiture et se rendaient
à la ville chez le médecin de famille,
pour une visite médicale prénatale
obligatoire.

Le prince, qui était toujours dans les nuages,
s'égarait souvent mais il aimait ça.
Il se sentait moins sol
quand il était dans la lune.
– Toujours tout roi, mon tordu de prince !
lui rappelait simplement la future maman.

Une fois la visite terminée,
le prince invitait la princesse
dans une pâtisserie pour lui
offrir de délicieux bateaux.

– Je ne sais si je dois, minaudait la princesse.
– Allons, allons, l'encourageait son mari, la mer, les bateaux, tout ça va très bien ensemble !

– Avez-vous appelé vos parents ? lui demandait ensuite la princesse.

Invariablement, le prince de Motordu répondait qu'il ne possédait pas de téléphone pour table mais qu'il allait bien trouver une cabane téléphonique.

Ainsi, le prince rassurait-il
son papa et sa maman,
leur expliquant que le dédé
se développait normalement.
– La princesse aussi, ajoutait-il.
On va bientôt la coucher, comme prévu.

Au chapeau, les soirées étaient calmes.
– Irai-je à la clinique ou à la maternité de l'hôpital, pour faire mon dédé ? s'interrogeait la princesse.
Pour le prince, il n'y avait aucun doute :

– Tous nos ancêtres sont nés
au chapeau, sous ce doigt !
C'est ici qu'en bon Motordu,
on pouce ses premiers cris.

Et le prince poursuivait la construction du cerceau dans lequel dormirait son fils, découpant aussi avec zèle, dans de vieux mouchoirs, les futures mouches-culottes du dédé.

Par un plus vieux matin du mois de mai,
la princesse Dézécolle sentit
que son enfant allait venir au monde.

Et du monde, il y en avait, dans la chambre.
Docteur de famille, sage-femme et
infirmières avaient pris leur service
dans cette vraie station de naissance.

Le dédé naquit à huit heures.
Le soleil lui envoya un peu
de sa lumière, puis reprit sa place,
discrètement, derrière les nuages.

Mais le petit être avait déjà refermé
ses yeux trop éblouis.
– Je comprends, regretta Motordu,
il devait s'agir d'un rayon de sommeil.

– C’est bien un glaçon ! annonça la sage-femme en lui donnant de petites tapes sur les fesses, histoire de les réchauffer.

– Le prénommerons-nous Désiré ?
s'enquit la princesse Dézécolle.
Mais le prince de Motordu réfléchissait.

– Ce nouveau-nez m'en rappelle un
autre, celui de mon grand-père Nicolas.
Nous donnerons donc à ce gamin
le prénom de Nid-de-Koala.

On autorisa alors la famille
à pénétrer dans la chambre.
– Il a les oreilles de sa mamie !
s'écria la mère de Motordu.
– Et les talons de son cousin,
assura la sœur de la princesse.

Un proche neveu craignit un instant que ce petit Nid-de-Koala-là ne lui prenne un jour tous ses jouets.

Alors le prince de Motordu éclata de rire.
– Le voleur n'attend pas le nombre des années ? Rassurez-vous tous, ce bébé n'a rien dérobé. Il est lui-même, de la tête aux pieds. C'est ce qui fait sa valeur.
Et maintenant, amusons-nous en musique.

La fête au chapeau
fit tourner bien des têtes.
Le père du prince de Motordu
joua du panneau à queue
et son épouse, de la carpe.

La princesse Dézécolle, avec émotion,
présenta son fils à chaque invité.
Une très vieille dame fit remarquer
que tous les bébés nés en mai
étaient du signe du Taureau.

– Certainement, certainement, pouffa le prince de Motordu, mais le mien sera plutôt du signe du Tonneau, tant il va se remplir du bon lait de sa maman !

Comme s'il avait compris
les propos de son papa tout neuf,
le petit Nid-de-Koala se mit
à pleurer très fort.

– Quel sacré braillard !
se réjouit son grand-père.
Chers amis, retirons-nous,
notre bébé à tous va téter sa mère.

La princesse Dézécolle dégrafa
le haut de sa robe et
le nouveau-nez flaira tout de suite
l'odeur puis le goût
du bon lait maternel.

L'auteur-illustrateur

Né en 1939, fils de maîtresse d'école, **Pef** a vécu toute son enfance enfermé dans diverses cours de récréation. Il a pratiqué les métiers les plus variés comme journaliste ou essayeur de voitures de course. À 38 ans et deux enfants, il dédie son premier livre *Moi, ma grand-mère...* à la sienne, qui se demande si son petit-fils sera sérieux un jour. C'est ainsi qu'il devient auteur-illustrateur pour la joie des enfants et invente en 1980 le prince de Motordu, personnage qui devint rapidement une véritable star.
Lorsqu'il veut raconter ses histoires, Pef utilise deux plumes, l'une écrit et l'autre dessine. Depuis près de vingt-cinq ans, collectionnant les succès, Pef parcourt inlassablement le monde entier à la recherche des glaçons et des billes de toutes les couleurs, de la Guyane à la Nouvelle-Calédonie, en passant par le Québec ou le Liban.
Il se rend régulièrement dans les classes pour rencontrer son public à qui il enseigne la liberté, l'amitié et l'humour.